Les Tireurs d'étoiles

Azouz Begag

Les Tireurs d'étoiles

Dessins de
Josette Andress

Seuil

COLLECTION DIRIGÉE PAR NICOLE VIMARD

ISBN 2-02-013643-0

© Éditions du Seuil, juin 1992

Jérémy et Ali étaient deux copains un peu poètes et très espiègles. Leur imagination sans bornes avait fait d'eux des détrousseurs de nature. Dans la cabane qu'ils avaient construite au milieu de la forêt, ils avaient installé comme un musée extra-ordinaire.

Sur de petites étagères faites de cartons à chaussures, ils avaient posé plein de boîtes, de pots et

de bocaux de verre dans lesquels ils tenaient enfermés quelques petits riens de la nature. Leurs prisonniers n'étaient pas des papillons, des plantes ou des feuilles mortes, mais des gouttes d'eau de pluie, éclairées de reflets multicolores, des éclairs d'orage électrisés, encore vivants, des flocons de neige, encore froids, des grêlons encore durs, des courants d'air en pleine course et même des morceaux de clairs de lune pétillants de blanc.

Tout ce beau monde en prison remplissait d'un silence étrange et surnaturel la cabane des deux voleurs.

Mais c'est dans deux des bocaux de conserve chipés à leurs mères

qu'ils gardaient amoureusement deux de leurs merveilles. Pour tout l'or du monde, ils ne les céderaient à aucun musée.

Dans le premier se débattait un couple de splendides rayons de soleil, encore chauds et secs, jaunes comme le blé et raides de fierté. Leur capture avait été facile, parce que les rayons,

naïfs, ignoraient qu'ils avaient des prédateurs sur terre. Jérémy les avait coincés un jour de beau temps, alors qu'ils baladaient leur insouciance lumineuse dans la forêt.

Ali, lui, avait capturé la deuxième merveille du musée, encore plus merveilleuse que l'autre : un segment d'arc-en-ciel, vivant lui aussi, pris sur le vif de toutes ses couleurs qu'il avait conservées intactes dans le bocal.

Sa capture n'avait pas été très facile. Il s'était agrippé à sa traîne comme un beau diable.

Un jour incertain, après un violent orage, Ali avait vu l'arc s'arc-bouter entre le ciel et la terre et, son piège en verre à la

main, il avait couru vers sa cascade multicolore. Mais, une fois près de lui, l'arc était devenu invisible, comme s'il avait senti la présence du jeune détrousseur de couleurs. Ali avait dû attendre, tapis derrière un bosquet, son redéploiement pour lui sauter dessus et lui subtiliser quelques pans de beauté. Puis il avait refermé promptement son bocal et l'avait rapporté au musée des Natures.

Le morceau d'arc-en-ciel ne s'était pas débattu ; il était tout simplement déboussolé de se retrouver en cage.

Ali, au fond de son cœur, avait eu un peu honte d'avoir amputé l'arc d'un morceau de son écharpe, mais Jérémy, fasciné par la beauté extravagante de ce paon du ciel, l'avait aussitôt rassuré :

– Ces choses-là se reforment toutes seules, avait-il dit.

Avec grand soin, ils avaient placé les deux rayons de soleil et le morceau d'arc-en-ciel dans un coin protégé de leur musée, recouvert les deux bocaux d'un plastique transparent. Parfois, il leur semblait entendre des gémissements, mais ils faisaient les sourds.

Personne ne connaissait leur caverne secrète et ils se gardaient bien d'en révéler l'existence à qui que ce soit, surtout pas au maître d'école, M. Naturel, qui leur disait chaque matin, pendant la leçon de sciences naturelles, pourquoi il était important de respecter et de protéger les choses de la vie.

– Ce sont les lumières de la vie des hommes, il avait dit.

– Deux rayons de soleil en moins, ce n'est pas la mer à boire, avait assuré Ali.

Car Jérémy avait peur, quelquefois, d'être devenu un mauvais garçon.

Mais leur soif de cambriolage devint de plus en plus grande. Toutes les semaines, bocal en main, ils partaient à la chasse aux morceaux de nature, comme on va à la chasse aux papillons. Ils firent ainsi prisonniers des longueurs de rafales de vent, des éclairs d'orage vivants, et même du coton de nuages crémeux. Bientôt, ils n'allaient plus avoir assez de place dans leur musée et plus assez de cages pour leurs prisonniers.

Un jour, Jérémy eut une idée gigantesque. C'est le mot « arc-en-ciel » qui la lui avait donnée. Quand il en parla à Ali, celui-ci ouvrit des yeux exorbités, tellement le piège que son copain avait manigancé était rocambolesque et au-delà du réel.

– On va se fabriquer des arcs immenses et on va tirer des flèches sur les étoiles, une par une, pour les faire tomber ; après, on les ramassera et on en fera des lampes merveilleuses pour notre cabane. La nuit, on pourra voir tout en clair de lune !

C'était cela, l'idée de Jérémy. Ali était subjugué : tirer des étoiles !

Jamais il n'aurait pu penser tout seul à un vol pareil. Il accepta avec enthousiasme, mais non sans quelques remords :

– On a déjà volé à la Lune plusieurs de ses clairs ; si on lui pique aussi ses étoiles, tu crois qu'elle va fermer les yeux ?

Jérémy avait ri de bon cœur :

– La Lune et les étoiles, c'est deux mondes différents, c'est pas pareil du tout, avait-il dit sans autre explication.

Mais il ne se doutait nullement des conséquences de son idée.

Quelques jours plus tard, ils se rendirent dans la forêt et cassè-

rent sur un arbre deux grandes branches avec lesquelles ils fabriquèrent des arcs et des flèches. Au bout des flèches, ils avaient taillé des pointes qui ressemblaient à des hameçons de poissons. Leur apparence était assez cruelle. On pouvait déjà les imaginer transpercer les étoiles, se planter dans les cœurs argentés et les forcer à se décrocher de leur nuit, pour descendre sur terre. Ça faisait mal à l'imagination, des idées pareilles.

Un beau jour, quand la nuit posa sa couette sur le village des enfants, Jérémy prétexta aller chez Ali, et Ali prétexta aller chez Jérémy, pour jouer. Leurs parents les laissèrent sortir. Demain était dimanche, ils pourraient faire la grasse matinée.

Les deux Indiens se retrouvèrent sous la nuit, tout excités par le méfait qu'ils allaient commettre.

C'était une nuit particulièrement illuminée.

Madame la Lune exposait en grand son phosphore, et on voyait nettement se dessiner des océans et des continents sur sa pupille. Autour d'elle, éparpillées dans un grand désordre, les étoiles scintillaient comme des taches de rousseur en argent, allongées dans l'écume vague de la Voie lactée.

Jérémy et Ali avaient les yeux rivés sur ce toit du monde merveilleux. Soudain, deux étoiles filantes tracèrent une ligne droite dans le bleu nuit et leur souvenir s'évapora aussi sec.

– J'en veux une ! s'écria Jérémy. Ce sera notre trophée.

– On peut pas, nuança Ali, elles filent trop vite. Même nos yeux ne peuvent pas les attraper. Faut tirer sur celles qui ne se défilent pas. Faut pas demander le ciel !

Sa phrase terminée, il brandit son arme dans la haute nuit et, de toutes ses forces, banda son arc et lâcha sa première flèche.

Elle siffla et traversa l'atmosphère à vive allure, droit vers un essaim de petites perles, et se planta sèchement dans l'une d'elles. Les autres qui l'entouraient esquissèrent un mouvement de recul, surprises par l'agression mortelle, et on assista à un grand remue-ménage dans le ciel. Même l'œil lunaire sembla cligner de stupeur.

Quelques instants plus tard, la flèche retomba, serrant mortellement l'étoile qui descendait en tourbillonnant de douleur vers les deux chasseurs. Quand elle toucha terre, Jérémy, tel un chien de chasse, courut vers elle mais, à sa grande surprise, il découvrit à son bout une boule calcinée, sans vie, éteinte.

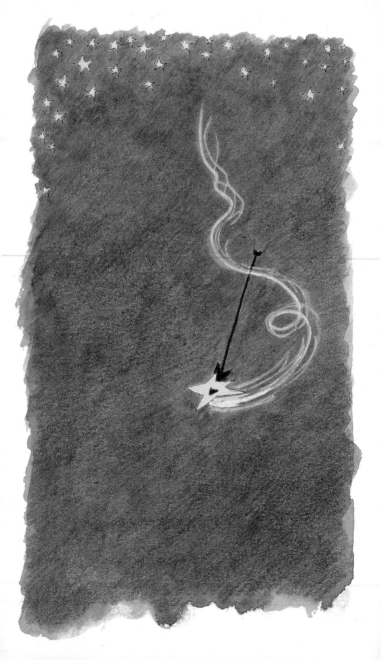

Il la ramassa, déçu.

– Tu l'as tuée, dit-il à Ali ; il faudrait tirer moins fort.

– Je vais essayer, répondit Ali.

– Non, c'est à moi, chacun son tour, proposa Jérémy. Je vais dégommer la Grande Ourse.

– La Grande Ourse ! reprit Ali en s'esclaffant.

Mais Jérémy avait déjà lancé la mort dans la nuit. La flèche déchira le ciel et percuta une étoile qui se décrocha, entraînant avec elle dans sa chute ses quatre sœurs. La nuit frissonna d'un seul coup et, cette fois, la Voie lactée rangea définitivement sa clarté et le ciel se tamisa d'un cran.

On y voyait moins clair. La Grande Ourse s'écrasa aux

pieds des enfants. Ses lumières étaient encore vives, et Ali ouvrit vite un bocal pour y enfermer les brillantes sœurs. Elles gigotaient comme des poissons en or dans leur cage de verre.

– C'est magnifiquement extra-ordinaire, lâcha Ali hébété. J'ai jamais vu quelque chose d'aussi beau !

– Le Chariot, maintenant, dit Jérémy en armant à nouveau son arc.

– Le Chariot ! reprit Ali tout excité.

Jérémy tira encore et, quand sa flèche vibra dans les airs, plusieurs étoiles éteignirent leur phare pour se protéger, comme des hérissons.

La clarté de la nuit baissa encore d'un ton.

– Regarde, y en a qui s'éteignent, dit Ali, maintenant inquiet.

La peur commença aussi d'étreindre Jérémy, mais c'était trop tard, il avait déjà tiré à nouveau. Sa flèche alla s'écraser droit dans le Chariot, provoquant une incroyable agitation dans la nuit, des étoiles filantes se mirent à filer de partout, paniquées, d'autres se serraient les unes contre les autres pour se donner du courage, et tout d'un coup, en un éclair, un flash brutal, la Lune cessa de briller. Tout net. Elle devint noire. La flèche de Jérémy redescendait lentement sur terre avec son

Chariot étincelant à son bout et, dans le noir, ça faisait comme un arbre de Noël magique et blessé.

Une terreur s'empara des deux voleurs d'étoiles et, en une seconde, sans attendre le retour du Chariot, ils abandonnèrent leurs armes à terre, leurs bocaux, et s'enfuirent à toutes jambes chez eux.

On entendait la nuit crier, là-bas en haut ; des cris de révolte et de protestation.

Une fois parvenus chez les parents d'Ali, les deux enfants durent expliquer cette lueur terrorisée qui allumait leurs yeux, comme si le ciel était tombé dedans. Après un long moment, le temps de retrouver la parole, Jérémy dit :

– On a tué des étoiles et la Lune est morte. On ne voit plus rien dehors.

Il était mort de peur. Les parents d'Ali étaient stupéfaits. Ils allèrent trouver les parents de Jérémy et, tous ensemble, constatèrent les dégâts que les enfants avaient causés dans la nuit tranquille. Ali et Jérémy montrèrent l'endroit exact où ils tenaient prisonnière la Grande Ourse et où était tombé le Chariot. Les étoiles étaient sur le point de rendre leur dernière lueur quand le papa d'Ali se jeta sur la flèche et le bocal. Il décrocha le Chariot et ouvrit la porte à la Grande Ourse, et toutes les étoiles détalèrent sur un courant d'air, en direction de

leur galaxie. On aurait dit des poissons pêchés et rejetés à l'eau de leur vie. Presque aussitôt, des points blancs réapparurent dans le ciel, la Voie lactée redéploya sa poudre d'écume et la Lune rouvrit son œil incandescent. Puis, dans un silence total, tout s'immobilisa à nouveau, comme avant. Deux étoiles filantes se remirent à faire la course sur un chemin de cristal. Le ciel reprit vie.

Dès le lendemain, au réveil, les deux voleurs de nature filèrent dans la cabane et libérèrent du musée tous leurs prisonniers. Ils ouvrirent les couvercles des bocaux et regardèrent disparaître dans la vie les rafales de vent, les gouttes d'eau de pluie,

les flocons de neige, les grêlons durs, les éclairs électrisés, les courants d'air, les clairs de lune, et même les rayons de soleil et le segment d'arc-en-ciel. Sans regrets.

Ce dimanche matin, ils lancèrent vers les cieux un regard de repentis, et la Lune qui allait se coucher, après une nuit bien étrange, leur adressa un clin d'œil de pardon.

L'auteur

Azouz Begag

a écrit
Les Voleurs d'écritures
pour les enfants
et
Le Gone du Chaâba,
Béni ou le Paradis privé,
L'Îlet-aux-Vents,
pour les adultes.

L'illustratrice

Josette Andress

dessine et écrit
Saisons de chats,
Sacrée Poulette,
dessine aussi pour des écrivains,
Azouz Begag,
Driss Chraïbi.

Dans la même collection

Alice au pays des lettres
Roland Topor

Le Couvent de sœur Isabelle
Régine Deforges

T'ar ta gueule à la récré
Nestor Salas
Marina Yaguello

Léa chez les diables
Régine Deforges

Léa et les Fantômes
Régine Deforges

Orthographe Ier, roi sans fautes
Nestor Salas
Jean-Pierre Verheggen

Jouons avec les lettres
Massin
Les Chats Pelés

**1 devinette, ça trompe, ça trompe…
666 devinettes, ça trompe énormément !**
André Jobin
Kito

MAQUETTE : SARA VIMARD

PHOTOGRAVURE : CHARENTE PHOTOGRAVURE
IMPRESSION : AUBIN IMPRIMEUR
D. L. JUIN 1992. N° 13643 (P40006)